THE LAPINS CRÉTINS

TOME 8: UNE CASE EN MOINS!

Scénario: Thitaume
Dessin: Romain Pujol
Couleurs: Mistablatte

AVERTISSEMENT

ATTENTION LECTEURS !

Ce Lapin Crétin vole des cases dans cette bande dessinée !

SOYEZ VIGILANTS !

RÉALISATION GRAPHIQUE : TWE

DÉPÔT LÉGAL │ JUIN 2016 │ ISBN 978-2-918771-44-9
PREMIÈRE ÉDITION │ TOUS DROITS DE TRADUCTION, D'ADAPTATION ET DE REPRODUCTION STRICTEMENT RÉSERVÉS POUR TOUS PAYS. │ IMPRESSION │ POLLINA – LUÇON – FRANCE – L25194

LES DEUX ROYAUMES │ UBISOFT FRANCE │ 40, RUE ARMAND CARREL │ 93100 MONTREUIL-SOUS-BOIS

WANTED

BADA BWAAAH!

BWAAAH

PROMO
NEW 5.99
GIGABURGER

ZIP ZIP ZIP

Thitaume -Pujol-

Thitaume -Pujol-

TOP DJ

Thitaume -Pujol-

★ FINALE ★
MANGEUR
DE BURGERS

MIOM MIOM

GROUMPF

Thitaume -Pujol-

Frappe les **Tam-Tams** en suivant
le schéma ci-dessous.
Recommence de plus en plus vite
et de plus en plus fort !

TADAAA!

FÉLICITATIONS !

DIPLÔME DU MEILLEUR MASSEUR

attribué à
Toi lecteur !

Ce diplôme certifie que tu as terminé avec succès
la formation de massage Tam-Tam ! Bravo !

Thitaume

Thitaume

100%
Authentique

Pujol

Pujol

BADA...

CONCOURS
SCULPTURES
SUR SABLE

PLOF

POF
POF

FROOOT

COUINE
COUINE
COUINE
COUINE

ThiTAUME -PuJOL-

PAGE CHANCE

Bingo !

En accédant à la page 13 de cet album, tu viens de gagner cet incroyable cadeau !

Pour obtenir ton lot, reporte-toi vite aux modalités détaillées au dos de la page !

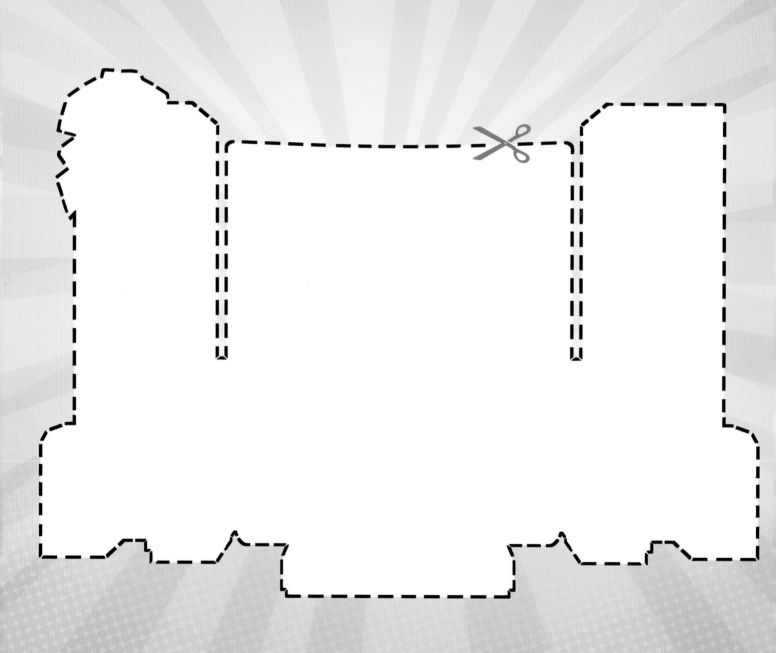

J'ai trouvé ce super
pouf aux ordures !
Vous devriez vous dépêcher,
il en reste encore un !

BADA!

Thitaume -Pujol-

PSSSCHRRR

ThiTAUME -PUJOL-

?

ThiTAUME -PUJOL-

TNT

BAOUM!

ThiTAUME -PUJOL-

VRRZZ

WUUUUUUUU

BWAH

PoF

PASSÉ

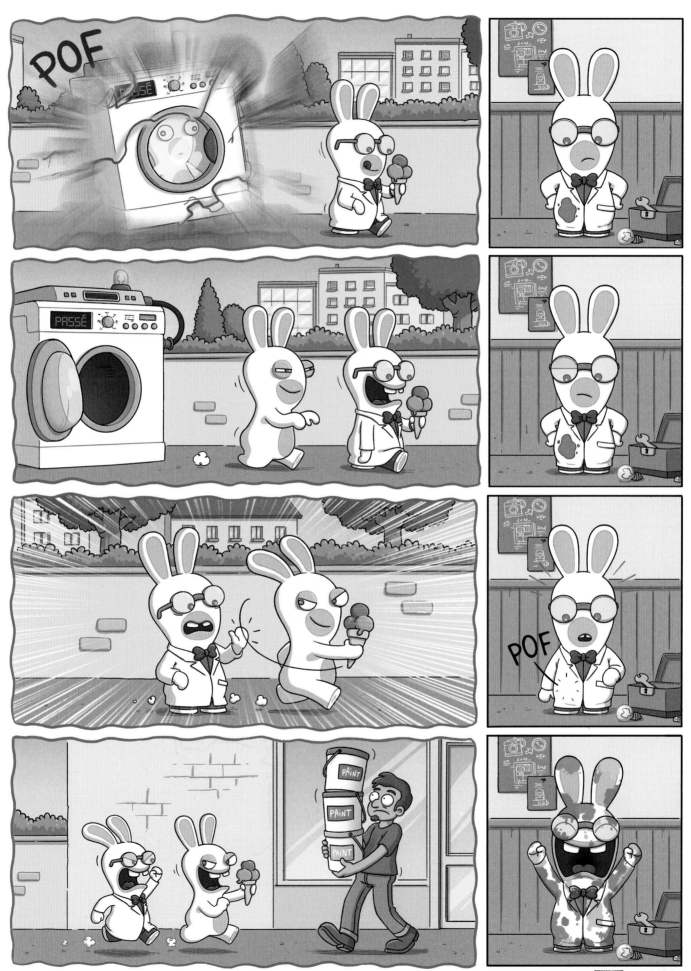

THITAUME -PUJOL-

FROUTCH
FROUTCH

CLING
CLING
CLING

THITAUME -PUJOL-

BWAAAH

BOM
BOM
BOM

ZIP
ZIP
ZIP

THITAUME -PUJOL-

HOP

TAC

SLUUUURP

JOUR
25€
37€
13€
28€

Mer

Thitaume -Pujol-

MON LOGIS

BWAAAH

THITAUME -PUJOL-

29

← **Téléporte ce Lapin Crétin !**
Dans un endroit bien éclairé,
fixe les trois points de couleur ∴ et
compte jusqu'à **40** sans bouger,
puis cligne des yeux dans les cases.

Défilé
de très haute
couture

BiP BiP

BADA!

WUUUUUUU

PRÉHISTOIRE

?

POF

FRESQUE
ART PARIÉTAL

GROTTE OKONKUNU

Thitaume -Pujol-

COLORIAGE MAGIQUE

À l'aide de tes crayons de couleur,
colorie les cases selon le chiffre indiqué et
découvre ce qui se cache dans cette illustration !

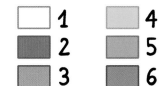

1   4
2   5
3   6

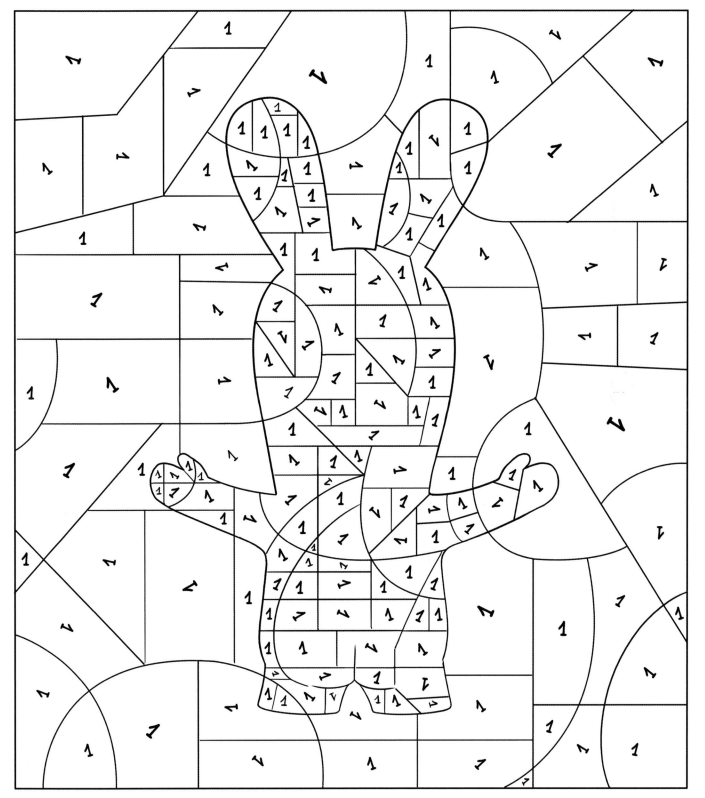

Thitaume -Pujol-

Thitaume -Pujol-

Thitaume -Pujol-

Sans l'ombre d'un doute, voici le visage du meurtrier !

THITAUME -PUJOL-

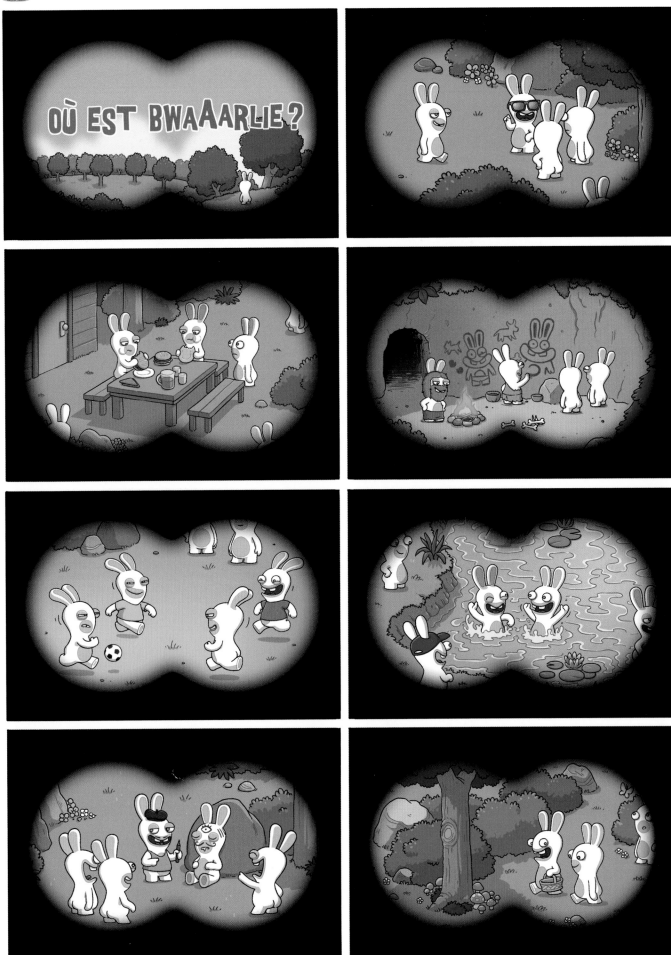

ThiTAUME -PUJOL-